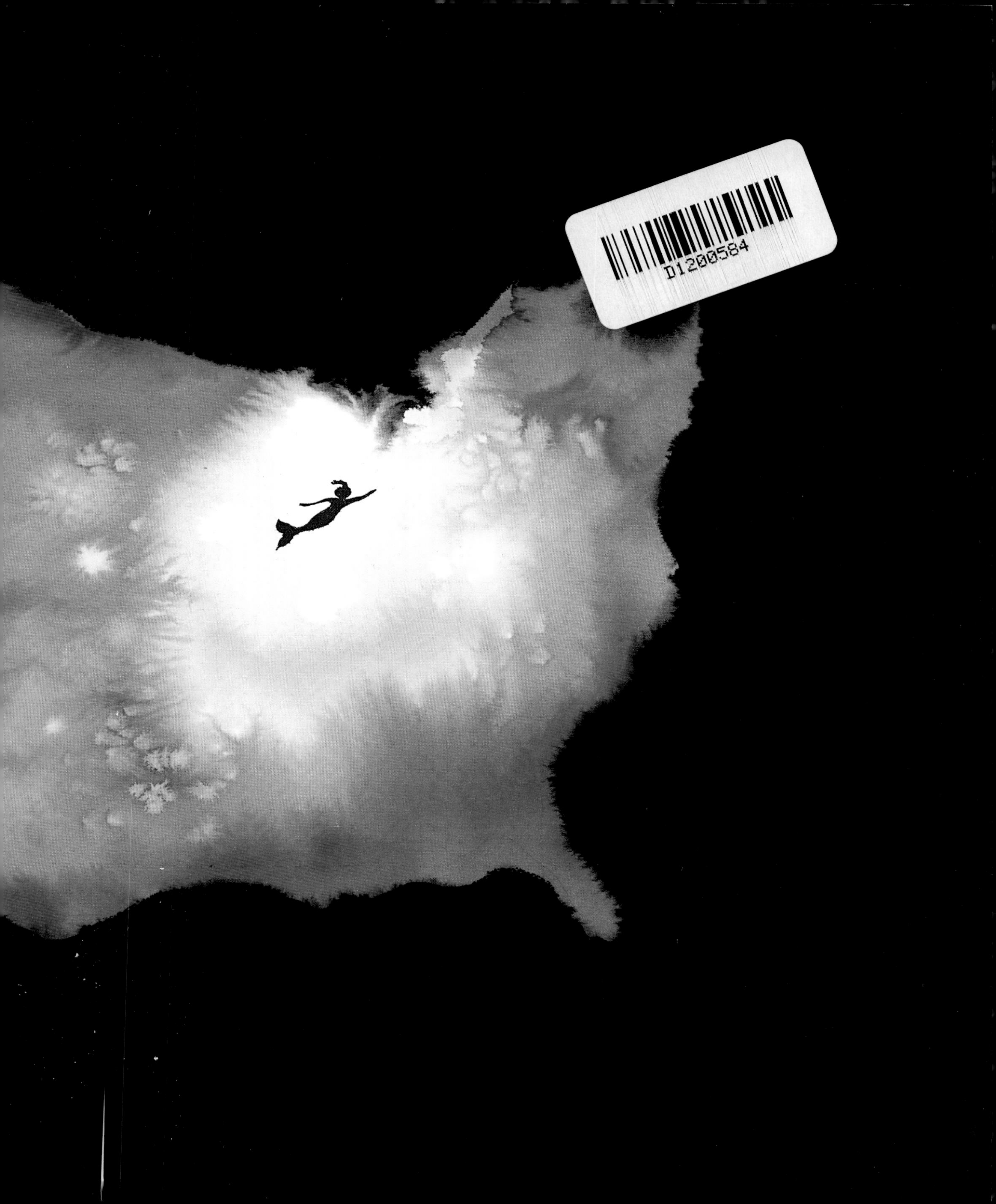
D1200584

Voor onze allerliefste zeemeermin
Jasmina

Andere prentenboeken van Mylo Freeman
Sem de kleine witte tijger
Stokstaartjes (met Marjolijn Hof)
www.mylofreeman.com

Eerste druk 2010

Omslagontwerp Petra Gerritsen
Uitgeverij Leopold bv, Amsterdam | www.leopold.nl
NUR 273 / ISBN 978 90 258 5610 6

Uitgeverij Leopold drukt haar boeken op papier met het FSC-keurmerk.
Zo helpen we waardevolle oerbossen te behouden.

Mylo Freeman

Zoë

de kleine zeemeermin

Leopold / Amsterdam

Diep, diep onder de donkerblauwe golven van de oceaan woonde Zoë, de kleine zeemeermin. Ze verzamelde schelpen waarmee ze haar huisje versierde.
Maar Zoë was niet snel tevreden, ze zocht altijd naar mooiere.

Op een dag ontdekte Zoë een heel bijzondere schelp. Maar toen ze hem probeerde op te tillen, hoorde ze plotseling een diep gebrom.
'Zeg, ik probeer hier een dutje te doen!' klonk het verontwaardigd.
Het was de oude zeeschildpad, meneer Torto.
'O, sorry,' riep Zoë geschrokken, 'ik dacht dat u een schelp was!'

‘Ik hou heel veel van schelpen, weet u,’ vertelde Zoë. ‘En ik ben op zoek naar de mooiste schelp van de zee!’
Meneer Torto raapte een grijze schelp op. ‘Wat vind je van deze? Het is een heel bijzondere, een oes–’
‘Nee, die vind ik helemaal niet mooi,’ zei Zoë ongeduldig en ze zwom snel verder.

Meneer Torto schudde zijn wijze kop.
Ineens hoorde hij om hulp roepen. Het was de stem van Zoë. Vlug zwom meneer Torto eropaf.
Nog net op tijd wist hij haar uit de armen van een zeeanemoon te trekken die zich langzaam om haar heen sloten.
De oude zeeschildpad besloot nog maar een stukje met haar mee te zwemmen.

‘Zullen we aan Orka vragen of hij weet waar mooie schelpen te vinden zijn?’ vroeg Zoë.

Maar dat leek de oude zeeschildpad helemaal geen goed idee...

Ze zwommen langs een school vissen.
'Niet allemaal door elkaar praten, malle lipvisjes, zo versta ik jullie niet!'
riep Zoë. 'Weten jullie waar ik de mooiste schelp van de zee kan vinden?'
De lipvisjes murmelden: 'In het Donkere Diep, in het Donkere Diep.'
'Weet u waar het Donkere Diep is?' vroeg Zoë aan meneer Torto.
Hij schudde bezorgd zijn kop.
'Het is daar gevaarlijk. Dat is geen plek voor kleine zeemeerminnen.'
'Dan zoek ik zelf wel verder!' zei Zoë ongeduldig.

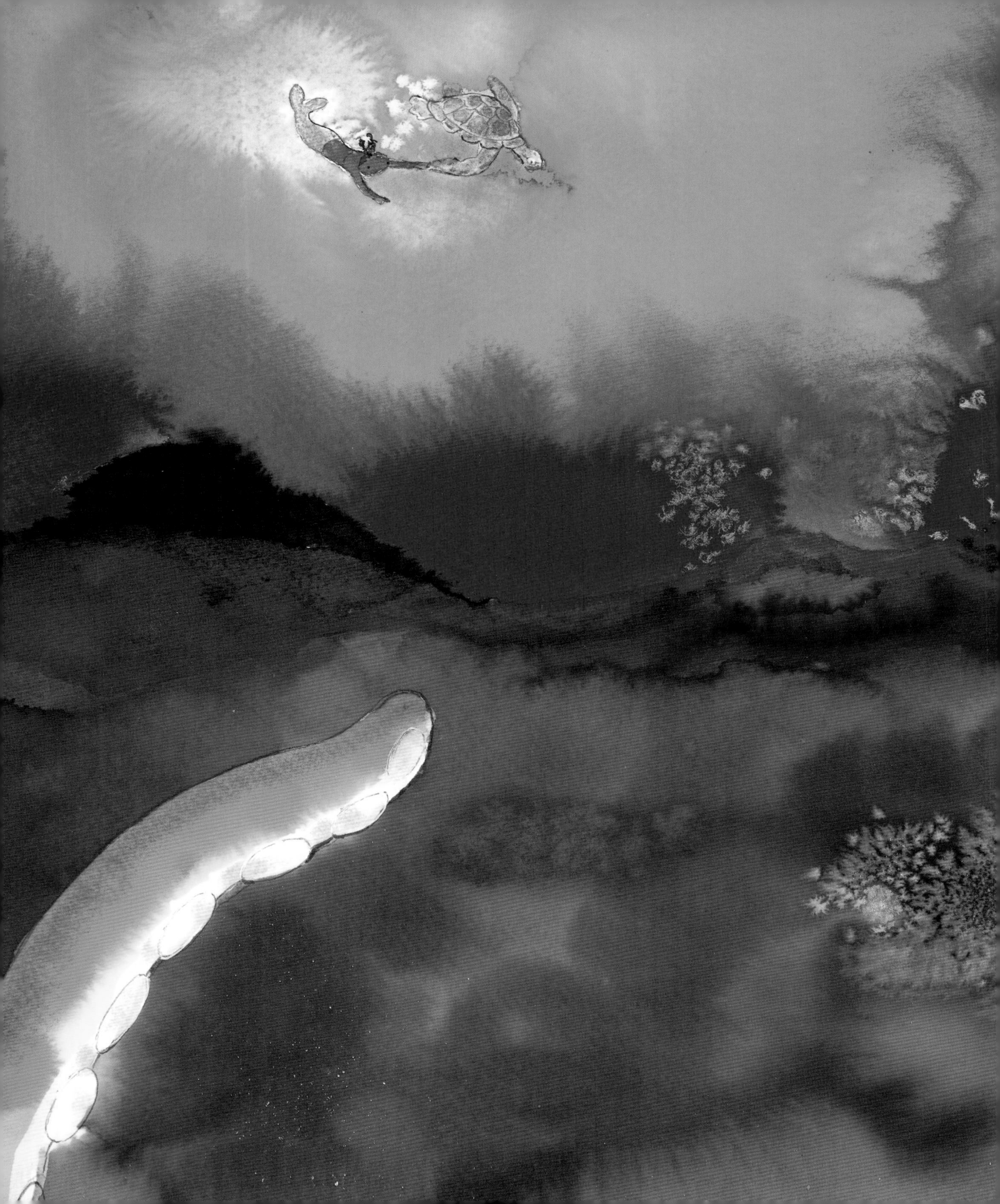

Zoë dook naar beneden en meneer Torto zwom achter haar aan. Steeds dieper en dieper daalden ze de koude duisternis in. 'Ik geloof dat ik iets zie liggen,' fluisterde Zoë.

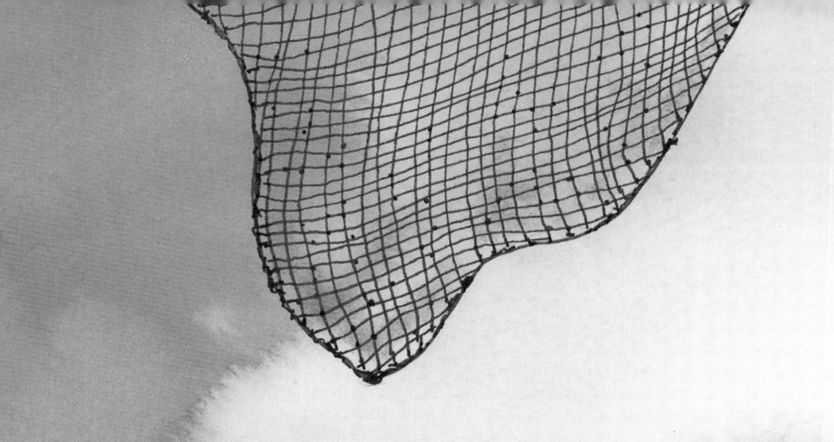

Half in het zand lag een grote schelp.
'Het is echt de allermooiste schelp die ik ooit heb gezien!' zei Zoë.
Ze kon haar ogen er niet van af houden. Zelfs in het donker glansde hij nog.
Haastig begon meneer Torto hem uit te graven.
Leek het maar zo of werd het steeds donkerder in het Donkere Diep?

Meneer Torto hijgde van inspanning en lette niet goed op.
Langzaam daalde er iets naar beneden...
Een groot visnet sloot zich om meneer Torto!
Zoë kon nog net opzij duiken.

Het net werd omhooggetrokken.
Met meneer Torto erin.
Hoe kon Zoë hem helpen?!
Snel pakte ze een klein krabbetje op uit
het zand en met zijn schaartjes knipte ze
vliegensvlug het visnet open.
Meneer Torto wrong zich los. Zoë's vriend
was gered!
Maar de mooiste schelp van de zee verdween
in het net mee naar boven.

Zoë aaide zachtjes over de oude kop van meneer Torto.
'Wat ben ik blij dat u er nog bent,' fluisterde ze.
'Ik ook, lieve Zoë, kom we gaan snel naar huis.'
Zo vlug als haar staartje zwiepen kon, zwom Zoë achter meneer Torto aan.

Bij Zoë's huisje lag de saaie grijze schelp.
Meneer Torto raapte hem op en wrikte hem voorzichtig open. Krrrak!
In de oester lag iets wat Zoë nog nooit had gezien.
Een prachtige parel!
'Zo'n bijzondere schelp heb ik nog niet,' zei ze verrukt. 'U had gelijk meneer Torto. Dit is echt de allermooiste schelp van de zee!'

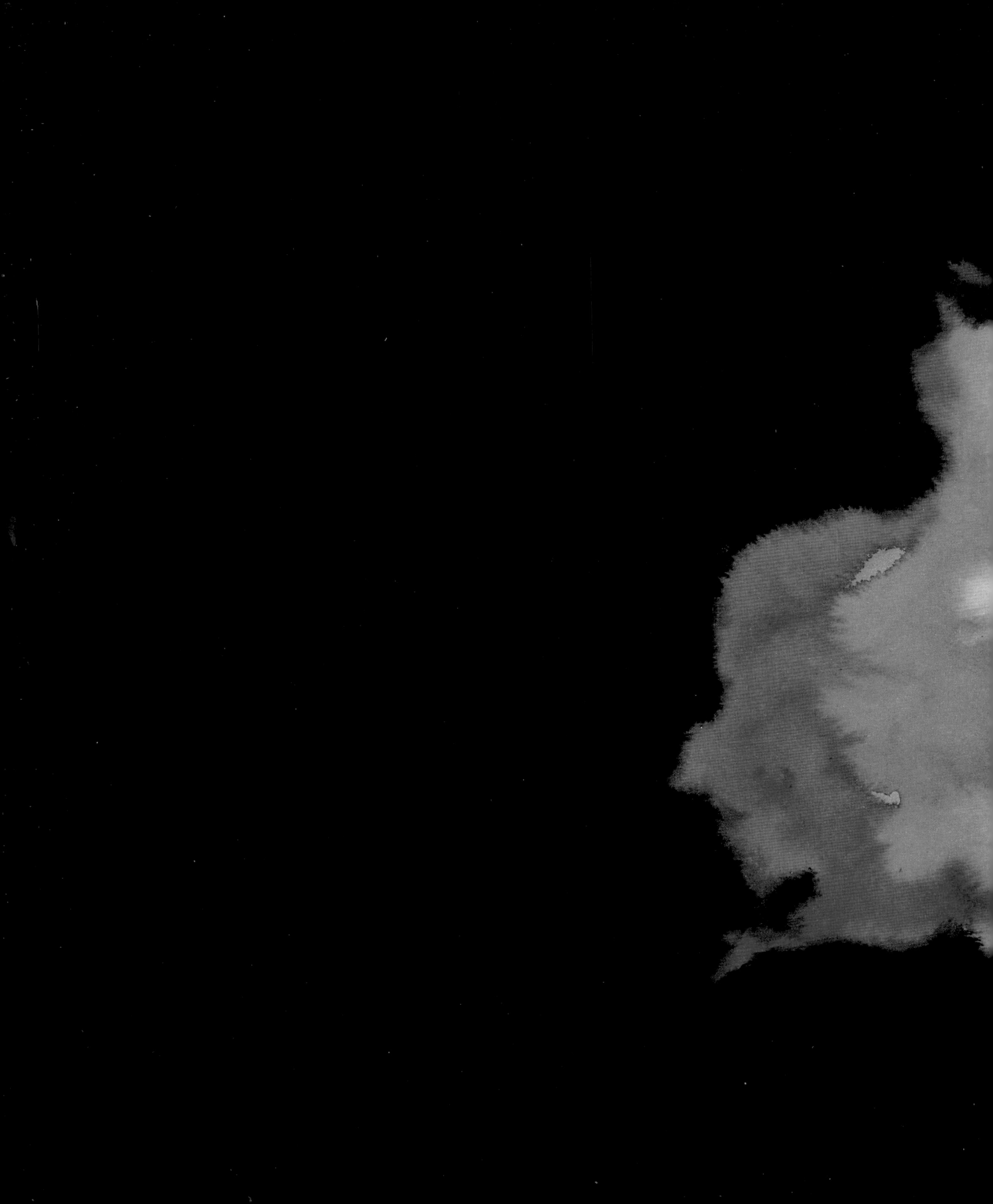